La culpa es de Óscar

Oscar Gets the Blame

Tony Ross

Para Katy y su amiga invisible Mandy.

Título original: *Oscar Got the Blame*

© Tony Ross, 1987
Publicado en Gran Bretaña, en 1987, por Andersen Press Ltd.
© De la adaptación del texto original: Grupo Anaya S.A., 2005
© De la traducción: Gonzalo García, 2005
© De esta edición: Grupo Anaya, S.A., 2005
Juan Ignacio Luca de Tena, 15. 28027 Madrid
www.anayainfantilyjuvenil.com
e-mail: anayainfantilyjuvenil@anaya.es

Primera edición, octubre 2005

ISBN: 84-667-4744-3
Depósito legal: S. 1.378/2005

Impreso en Gráficas Varona
Polígono El Montalvo, parcela 49
Salamanca
Impreso en España - Printed in Spain

WE READ LEEMOS
EN INGLÉS
Y CASTELLANO

La culpa es de Óscar

Oscar Gets the Blame

Tony Ross

ANAYA
ENGLISH

Este es Óscar...

This is Oscar...

y este es Guille, el amigo de Óscar. La mamá y el papá de Óscar creen que su hijo se está inventando a Guille.

... and this is Oscar's friend, Billy.
Oscar's mum and dad think Oscar is making Billy up.

Cuando Óscar habla de Guille, su mamá
y su papá dicen: «No seas tonto».

When Oscar talks about Billy,
his mum and dad say, «Don't be silly».

Pero Óscar y Guille son amigos de verdad...

But Oscar and Billy are the best of friends...

de día y de noche.

...day and night.

A veces, Óscar le da a Guille
una parte de su comida...

Sometimes, Oscar gives Billy
some of his dinner...

pero luego tiene que comérselo todo él solo.

...but then has to eat it all himself.

Cuando Guille deja unas manchitas
de barro por la casa...

When Billy leaves little bits of mud
around the house...

la culpa es de Óscar.

...Oscar gets the blame.

Cuando Guille viste al perro
con las cosas de papá...

When Billy dresses the dog in Dad's things...

la culpa es de Óscar.

...Oscar gets the blame.

Cuando Guille mete ranas
en las zapatillas de la yaya...

When Billy puts frogs in Granny's slippers...

la culpa es de Óscar.

...Oscar gets the blame.

Cuando Guille prepara el desayuno...

When Billy makes breakfast...

la culpa es de Óscar.

...Oscar gets the blame.

Cuando Guille baña al gato...

When Billy washes the cat...

la culpa es de Óscar.

...Oscar gets the blame.

Y cuando Guille deja abiertos
los grifos del lavabo...

And when Billy leaves
the bathroom taps running...

la culpa es de Óscar...

...Oscar gets the blame

y se va a la cama sin un cuento.

...and he goes to bed without a story.

–¡No es justo! –dice Óscar–.
¡Nadie cree en mi amigo Guille!

«It's not fair!» says Oscar.
«Nobody believes in my friend Billy».

–¡NUNCA LO HACEN! –dice Guille.

«THEY NEVER DO!» says Billy.

Otros títulos publicados en esta colección:

La triste historia de Verónica
The Sad Story of Veronica
David McKee

Martes terrible
Terrible Tuesday
Hazel Townson · Tony Ross

Odio a mi osito de peluche
I Hate My Teddy Bear
David McKee

Ahora no, Bernardo
Not Now, Bernard
David McKee

Nica
Nicky
Tony y Zoë Ross